TODO ALL° PUERTO RICO

Texto literario, fotografías, diagramación y reproducción, enteramente concebidos y realizados por los equipos técnicos de EDITORIAL ESCUDO DE ORO, S.A.

Reservados los derechos de reproducción y traducción, total o parcial.

Copyright de la presente edición sobre fotografías y texto literario: EDITORIAL ESCUDO DE ORO, S.A. Palaudarias, 26 - Barcelona (España).

Text, photographs, lay-out and reproduction, entirely created and designed by the Technical Department of EDITORIAL ESCUDO DE ORO, S.A.

Rights of total or partial reproduction and translation reserved.

Copyright of this edition for photographs and text: EDITORIAL ESCUDO DE ORO, S.A. Palaudarias, 26 - Barcelona (Spain).

1.ª Edición, Octubre 1978
2.ª Edición, Septiembre 1987

ISBN Español (Rústica) 84-378-0387-X
Dep. Legal B. 33998-1987

1st Edition, October 1978
2nd Edition, September 1987

ISBN English (Paperback) 84-378-0387-X
Dep. Legal B. 33998-1987

Impreso en España - Printed in Spain
F.I.S.A. Palaudarias, 26 - 08004 Barcelona

Una producción de:
Escudo de Oro Caribe, Inc.
PO Box 4192, San Juan, Puerto Rico 00905
Tel. (809) 781-6980

La histórica fortaleza de San Felipe del Morro.   *The historic fortress of San Felipe del Morro.*

PUERTO RICO, LA ANTIGUA BORIQUEN PRECOLOMBINA

Isla situada a una latitud aproximada de 18° en el hemisferio Norte, en pleno mar del Caribe y en el centro del archipiélago antillano, con una extensión de alrededor de 9.000 km cuadrados, Puerto Rico aparece a los ojos del viajero que se aproxima a sus costas, contemplada desde el aire, como un verdadero paraíso. En la región central se elevan las tierras altas de la cordillera, cruzadas por ríos y valles, colinas y hondonadas. Son tierras mineras que tienen el corazón de cobre, oro, plata y níquel. Desde la sierra bajan las estribaciones verdes y húmedas hacia las aguas transparentes del mar. El clima suave y saludable está moderado por la brisa marina y el influjo de los frescos vientos alisios del septentrión.

A partir de 1493 la Isla fue conocida con el nombre de San Juan Bautista, así la bautizó Colón en honor del príncipe don Juan, hijo de los Reyes Católicos. Ponce de León, fundador del primer pueblo de cristianos, fue el primer Gobernador de la isla, dividida en dos departamentos: el de Puerto Rico y el partido de San Germán. Primero el cultivo de la caña de azúcar y, a partir de 1614, el del tabaco, constituyeron, junto con la ganadería, las principales fuentes de riqueza de la isla, que había de padecer incursiones de corsarios franceses, un frustrado ataque de Drake, la breve conquista de Cumberland, el saqueo de los holandeses, entre otras vicisitudes, hasta que, en 1898, pasa a poder de los Estados Unidos, de quien se convertiría posteriormente en Estado Libre Asociado.
El turismo es hoy una de las más importantes industrias de Puerto Rico. Más de un millón de

visitantes acuden anualmente a las cálidas playas de la isla, que ha sabido conservar la poética leyenda de su pasado.

PUERTO RICO, FORMERLY THE PRECOLOMBIAN BORIQUEN

The island is situated in the northern hemisphere at a latitude of approximately 18°, right in the middle of the Caribbean and at the centre of the West Indian archipelago; Puerto Rico covers an area of 9.000 sq. kms. and to the traveller approaching its coasts from the air, it looks like a real tropical paradise. In the central part are the highlands of the mountain range intersected by rivers and valleys, hills and dales. These are mining areas with copper, gold, silver and nickel in their entrails. Coming down from the mountains are the damp green foothills leading to the limpid waters of the sea. The mild healthy climate is freshened by sea breezes and cool trade winds from the north favouring the cultivation of all types of tropical fruit. After the year 1493, the island was known by the name of San Juan Bautista, as it was named by Columbus in honour of prince don Juan, son of Ferdinand and Isabella. Ponce de León, founder of the first Christian settlement, was the first governor of the

Monumento al Indio Taíno.

Monument to the Taíno indian.

Monumento a Baldorioty de Castro.

Monument to Baldorioty de Castro.

Monumento al Jíbaro.

Monument to the Jíbaro.

Cuatro perspectivas de San Felipe del Morro, famosa fortaleza cuya historia va estrechamente ligada a la de San Juan de Puerto Rico.

Four views of San Felipe del Morro, the famous fortress whose history is closely linked to that of San Juan de Puerto Rico.

Bello primer plano de la fortaleza del Morro.

A fine close-up of the El Morro fortress.

Escudo de España que se conserva en San Felipe del Morro.

The coat of arms of Spain preserved in San Felipe del Morro.

Escudo de Puerto Rico.

Coat of arms of Puerto Rico.

island which is divided into two provinces: Puerto Rico and the district of San Germán. The main sources of income for the island came initially from the cultivation of sugar cane, and after 1614, from tobacco and also cattle rearing. French pirates made frequent incursions into the island, but an attack by Drake was successfully repulsed; among other vicissitudes the island was briefly conquered by Cumberland and sacked by the Dutch, until it came under the protection of the U.S.A. in 1898 and later became a Free Associated State.

Today, the tourist industry is one of the most important in Puerto Rico. More than a million visitors come each year to the warm beaches of this island which has successfully preserved the poetic legend of its past.

Fachada de la fortaleza de San Felipe del Morro.

Façade of the fortress of San Felipe del Morro.

EL CASTILLO DE SAN FELIPE DEL MORRO

Las primeras fortificaciones del Morro estaban destinadas a proteger a la población contra los ataques de los indios caribes y de los corsarios que amenazaban la isla. Posteriormente, el Morro se convirtió en una formidable ciudadela poco menos que inexpugnable, que desempeñó un papel primordial en la defensa de Puerto Rico. Aunque el castillo de San Felipe del Morro no cumple en la actualidad ningún fin militar, forma ya casi parte de la geografía de la isla. Sus murallas, rematadas de trecho en trecho por las pintorescas garitas que servían de refugio a los centinelas en el pasado, exhiben aún un porte altivo y señorial. Su antigua y noble estructura le recuerda al que las contempla que San Juan ha sido en otro tiempo una ciudad inexpugnable. Al finalizar el siglo XVIII estaba defendida por más de cuatrocientos cañones y ante sus fortificaciones fracasaron capitanes de la talla de Drake o el Almirante Sampson, que bombardeó el Morro en 1898 sin conseguir que se rindiese. Con la única excepción del conde de Cumberland, que invadió y conquistó la ciudad en 1598 —manteniéndola en su poder durante cinco meses—, todos los intentos de asalto fueron rechazados desde el Castillo de San Felipe del Morro.

El Morro comenzó a fortificarse en los mismos años en que se construía la Fortaleza. Pero las obras se realizaron a un ritmo más lento, a medida que los españoles iban tomando conciencia del valor estratégico de este punto de la ciudad.

La mayor parte del fuerte fue edificado entre 1589 y 1650, pero las obras no finalizaron hasta bien entrado el siglo XVIII. Las murallas y el conjunto de la estructura se han mantenido básicamente hasta hoy: seis niveles de baterías que se levantan a más de 140 pies sobre el nivel del mar. Técnicamente es una auténtica obra maestra de la ingeniería militar, con sus muros resistentes a las bombas y la perfecta distribución de las rampas y escaleras que facilitaban los movimientos de piezas y tropas en el interior.

Tres perspectivas de la histórica fortaleza del Morro.

Three views of the historic fortress of El Morro.

Magnífico primer plano del Morro, con el mar al fondo.

A magnificent close-up of El Morro with the sea in the background.

THE CASTLE OF SAN FELIPE DEL MORRO

The first fortifications on El Morro were to protect the city against attacks from the Caribbean indians and the pirates who threatened the island. Later on, El Morro became an imposing fort which was well nigh impregnable, and played an important part in the defence of Puerto Rico. Although the castle of San Felipe del Morro no longer has a military function it is almost an integral part of the geography of the island. Its walls, topped at intervals by picturesque sentry boxes which sheltered those guarding the fort in former times, are still proud and impressive. The ancient structure of these noble walls serves to remind the onlooker that San Juan was formerly an impregnable city. At the end of the XVIII century it was defended by more than 400 cannon, and even captains of the like of Drake and Admiral Sampson, who bombarded El Morro in 1898 without taking the city, failed to penetrate its stout fortifications. The only exception was the Duke of Cumberland who invaded and captured the city in 1598, remaining in possession only five months; apart from this, all other attempts at assault were repulsed from the castle of San Felipe del Morro.

The fortification of El Morro began when La Fortaleza itself was being built. But work on it was done at a more leisurely pace as the Spaniards gradually realized the strategic value of this part of the city.

The greater part of the fort was built between 1589 and 1650 but work on it was not finished until well into the XVIII century. The walls and the general structure have survived basically till the present time; six rows of batteries at more than 140 feet above sea level. Technically it is a true masterpiece of military engineering with stout bomb-resistent walls and perfectly distributed ramps and steps to facilitate the movement of troops and artillery pieces inside the precinct.

Claustro del Museo de los Dominicos.

Cloister in the Dominican Museum.

Cuatro aspectos del interesante Museo de los Dominicos.

Four views of the interesting Dominican Museum.

MONASTERIO DE LOS DOMINICOS

Construido poco después de la primitiva catedral, es uno de los edificios más antiguos de San Juan. Fue, a partir del siglo XVI, un centro cultural de primer orden como Estudio General de la Orden de Santo Domingo. Sede del Alto Mando de las Antillas hasta 1967, el convento es actualmente, tras haber sido restaurado para albergar el Instituto de Cultura Puertorriqueña, un verdadero museo, en el que destacan la vieja Sala Capitular y su antigua biblioteca.

THE DOMINICAN MONASTERY

Constructed shortly after the original cathedral, this is one of San Juan's oldest buildings. From the XVI century the monastery was a cultural centre of the highest order being the General Study of the Order of San Domingo. Seat of the Antilles High Command until 1967 the convent, after being restored to house the Institute of Puertorican Culture, is now a museum with an impressive old Chapter House and ancient library.

Tres de las salas que componen el Museo de los Dominicos.

Three of the rooms making up the Dominican Museum.

LA IGLESIA DE SAN JOSE

La mezcla de estilos característica de la arquitectura puertorriqueña se expresa en la iglesia de San José, desde las líneas gótico-isabelinas hasta las neoclásicas. Este templo empezó a construirse hacia 1532 y la parte más antigua del templo es, al parecer, la capilla mayor, que ostenta una grandiosa bóveda gótica estrellada. La nave mayor y la fachada de la iglesia se construyeron en los seis años que van de 1635 a 1641. La pared de la capilla mayor exhibe el escudo de García Troche, yerno del Conquistador. En el piso de la misma está la cripta-panteón de la familia de Ponce de León. Los restos de Juan Ponce de León estuvieron en este templo desde 1559 hasta 1908, año en que fueron trasladados a la Catedral.

La iglesia conserva una interesante colección de arte, en la que destacan una pintura flamenca —única en las Antillas— y cuadros de José Campeche y Francisco Oller.

THE CHURCH OF SAN JOSE

The mixture of styles characteristic of Puertorican architecture is to be found in the church of San José, with its Gothic-Isabeline lines and neoclassical features.

Building work on this church was begun around 1532 and its oldest part apparently is the main chapel with its great Gothic star-vaulted roof. The main nave and church façade were built between 1635 and 1641.

On the wall of the main chapel is the coat of arms of García Troche, son-in-law of the Conquistador.

In the floor of this chapel is the crypt containing the tomb of the Ponce de León family. The remains of Juan Ponce de León lay in this church from 1559 to 1908 when they were transferred to the cathedral.

There is an interesting art collection in the church with an outstanding Flemish painting — unique in the Antilles — and paintings by José Campeche and Francisco Oller.

Sugestiva perspectiva de las murallas de San Juan.

A lovely view of the walls of San Juan.

MURALLAS Y PUERTA DE SAN JUAN

Las murallas de La Fortaleza, el Morro y las restantes que rodeaban toda la ciudad convirtieron a San Juan en la segunda plaza fuerte de toda la América hispana, siendo la primera Cartagena de Indias. Todavía pueden contemplarse en la actualidad, emplazadas en las murallas, varias de las piezas de artillería y municiones utilizadas antaño. Destaca entre estas piezas, un cañón situado al lado del baluarte de Santa Catalina —encontrado en Vieques en 1954— que exhibe un monograma de Enrique III de Inglaterra. La Puerta de San Juan, erigida en 1639, fue la primera de las seis levantadas alrededor de la ciudad amurallada.

THE WALLS AND GATE OF SAN JUAN

The city walls of San Juan were begun when don Iñigo de la Mota y Sarmiento was governor of the island from 1635 to 1641. The walls of La Fortaleza, El Morro, and the remaining walls surrounding the whole city made San Juan the second strongest fortress in all Hispano-America, the first being Cartagena of the Indies. Today we can see several of the artillery pieces and ammunition used in former times still standing on the walls. Among these is a cannon beside the bastion of Santa Catalina —found in Vieques in 1954 — with the monogram of Henry III of England. The gate of San Juan, built in 1639, was the first of six constructed around the walled city.

Vista parcial de la Casa Blanca.

A partial view of the Casa Blanca.

Un aspecto de las murallas de San Juan.

A view of the city walls of San Juan.

PLAZUELA DE LA ROGATIVA

Según la leyenda, las tropas británicas, que en 1797 acampaban en Santurce, vieron una inusitada actividad en San Juan durante la noche y creyeron que eran tropas de refuerzo llegadas para defender la ciudad. Las tropas británicas levantaron el sitio, pero aquella actividad no era debida a la llegada de refuerzos, sino a una Rogativa o procesión religiosa. Una estatua, obra de Lindsay Daen, conmemora la efemérides.

PLAZUELA DE LA ROGATIVA

According to legend, the British troops which in 1797 were camping in Santuce, saw something unusual happening in San Juan during the night and believed that it was the arrival of reinforcements come to defend the city. The British troops abandoned the siege, but the unusual occurrence was not the arrival of reinforcements but a *Rogativa* or religious procession. A statue by Lindsay Daen commemorates the event.

Monumento a la Rogativa, obra de Lindsay Daen.

Monument to the Rogativa (religious procession), a work by Lindsay Daen.

Fachada del Palacio de Santa Catalina, La Fortaleza.

The façade of the Santa Catalina Palace, La Fortaleza.

Vista del jardín y dos aspectos de La Fortaleza.

A view of the garden and two views of La Fortaleza.

LA FORTALEZA

Residencia actual de los gobernadores de Puerto Rico, este elegante edificio fue uno de los baluartes de defensa de la isla. Empezó a construirse en 1533 y se terminó en 1540. Posteriormente este primer fuerte —formado por un cubo de cuatro paredes cuadradas y una torre circular que se alzaba en el muro oeste— experimentó varias reformas y fue conocido, a lo largo de la historia, con diversos nombres: La Fuerza, La Fortaleza, y Palacio de Santa Catalina. En sus comienzos sirvió para alojar una guarnición de soldados instalados en el interior de las murallas. Los cañones colocados en las torres defendían el puerto de los eventuales ataques de la piratería. Tras haber servido durante varios siglos como residencia de los capitanes generales de San Juan, se convirtió en 1822 en residencia oficial del gobernador de Puerto Rico, uno de los cuales, el conde Mirasol, acometió una serie de reformas en el edificio, proporcionándole el noble empaque que hoy le distingue. A esta restauración contribuyó decisivamente el almirante William D. Leahy, designado por el Presidente Roosevelt como Primer Ejecutivo de Puerto Rico, que invirtió en las obras de reforma y mejoras más de medio millón de dólares.

En la fachada principal —que data de 1846, cuando tuvo lugar la reforma más importante de La Fortaleza— rodean las banderas de los Estados Unidos y de Puerto Rico. Esta última consta de cinco franjas horizontales, tres rojas y dos blancas alternadas. Un triángulo equilátero azul —uno de cuyos lados forma el extremo de la bandera, junto al asta— aparece sobrepuesto sobre las franjas. El color del triángulo es azul, descansando sobre él una estrella blanca de cinco puntas, una de las cuales apunta hacia arriba.

El interior del edificio, celosamente conservado y decorado, constituye un auténtico museo de la historia y de la vida puertorriqueñas. Los actuales gobernadores de Puerto Rico han contribuido, con exquisito gusto, a crear una atmósfera íntima y

El suntuoso Salón de los Espejos de La Fortaleza.

The luxurious Chamber of Mirrors in La Fortaleza.

Tres motivos decorativos y Salón de Té de La Fortaleza.

Three decorative motifs and the Tea Room in La Fortaleza.

acogedora. Han sido reformados algunos de los salones clásicos —como el del Trono— para darle un aspecto más familiar y democrático. El Salón de Música, donde se celebró en 1973 un homenaje al gran músico español Pablo Casals, exhibe en sus paredes una valiosa pintura del impresionista francés Camille Pissarro. En la Sala de Té —preciosa muestra de las habitaciones de la época colonial— se conserva también un magistral paisaje pintado por Jean Baptiste Corot. Otras estancias interesantes son el Salón Biblioteca, el Salón de los Espejos, el Salón Azul, el Cuarto Kennedy, nombre que designa el principal aposento para huéspedes del palacio y que está dedicado al político estadounidense, o la Galería.

Entre las personalidades famosas que se han hospedado en La Fortaleza, figuran Isabel II de Ingla-

terra, la reina Juliana de Holanda, los presidentes de Estados Unidos de Norteamérica Roosevelt, Hoover y Kennedy y el famoso aviador Charles Lindbergh.

Al fondo de la galería del patio interior puede contemplarse un viejo reloj de pie que aparece estrechamente vinculado a una misteriosa leyenda, según la cual, en 1898, el último gobernador español de la isla, antes de hacer entrega del mando a las tropas norteamericanas, dio un fuerte golpe con su espada al reloj, que se detuvo en aquella hora dramática para la historia de España: las cuatro y treinta minutos.

Tiene asimismo especial encanto la cocina antigua, que puede visitarse en la torre austral de La Fortaleza. Es tal vez la más antigua de la isla y constituye una notable pieza arquitectónica del siglo XVI.

Escalera principal de La Fortaleza.

The main staircase in La Fortaleza.

El Cuarto de la Bahía de La Fortaleza.

The Bay Room in La Fortaleza.

Desde el balcón de caoba que se asoma al nivel de la segunda planta de la mansión, pueden contemplarse los hermosos jardines tapizados por una gran variedad de plantas ornamentales. En el centro del jardín mana una bella fuente decorada con azulejos españoles.

La Casa de Huéspedes está situada en un rincón del jardín. Se trata de un edificio de arquitectura moderna —reconstruido en 1966— que constituye un ejemplar más de esa mezcla de espíritus y estilos que caracterizan al moderno Puerto Rico.

La Torre del Homenaje —desde la cual el Gobernador del Castillo hacía en momentos críticos un solemne juramento de lealtad y total entrega a la defensa de La Fortaleza— ofrece al visitante una amplia y sugestiva vista panorámica de la ciudad.

LA FORTALEZA

Now the residence of the governors of Puerto Rico, this elegant building was one of the defence bastions of the island. Building on it was begun in 1533 and finished in 1540. Later, this first fort — made in a cube shape with four square walls and a round tower on the western wall— underwent several alterations and was known throughout La Fuerza, La Fortaleza, and the Palacio de Santa Catalina. Initially it was used to accommodate a garrison of soldiers installed within the walls. The cannons placed on the towers defended the port from possible attacks from pirates. After being used for several centuries as the residence of the captains general of San Juan, in 1822 it became the official residence of the governor of Puerto Rico, one of whom, count Mirasol, instigated a series of alterations in the building, giving it the impressive appearance it has today. Admiral William D. Leahy, designated by President Roosevelt as First Executive of Puerto Rico made a meaningful contribution to the improvement of the palace by investing more than half a million dollars.

On the front, which dates from 1846 when the most

important alteration on La Fortaleza took place, the flags of the United States and of Puerto Rico fly, the latter consisting of five horizontal stripes, three red and two white placed alternately. A blue equilateral triangle is superimposed on the stripes, one side of which lies parallel with the flag pole. On the blue triangle is a white five-pointed star pointing upwards. The inside of the building is jealously guarded and beautifully decorated and is an outstanding museum of Puertorican life and history. The present governours of Puerto Rico have contributed, with exquisite taste, to creating a welcoming and intimate at-

mosphere in the palace. Some of the classical style drawing rooms have been altered, the Throne Room for instance, to give them a more democratic and familiar tone. The Music Room, where homage was paid to the great Spanish musician Pablo Casals in 1973, has a valuable painting by the French impressionist Camille Pissarro hanging on its walls. In the Tea Room — a fine example of a colonial style room — there is a delightful landscape painted by Jean Baptiste Corot. Other rooms of interest are the Library, the Chamber of Mirrors, the Blue Room and the Kennedy Room, named after the American politi-

El lujoso Salón Azul o de Recibo, con el retrato de Isabel II.

The sumptuous Blue Room or Reception Room with a portrait of Elizabeth II.

El antiguo Salón del Trono, hoy Oficina del Gobernador.

The former Throne Room, now the Governor's office.

Vista parcial de la acogedora Sala Kennedy en La Fortaleza.

A partial view of the attractive Kennedy Room in La Fortaleza.

Salón de Rattan, utilizado para recepciones informales.   The Rattan Room, used for informal receptions.

cian and the main room for palace guests, and also the Gallery. Among the famous people who have stayed in La Fortaleza are Elizabeth II of England, Queen Juliana of the Netherlands, U.S. Presidents Roosevelt, Hoover and Kennedy, and the famous pilot Charles Lindbergh.

At the rear of the gallery of the inner courtyard is an old grandfather clock closely linked to a mysterious legend according to which, in 1898, the last Spanish governor of the island, before handing over the command to North American troops, gave the clock a heavy blow with his sword, and it stopped exactly at that dramatic moment for the history of Spain — half past four in the afternoon.

The old kitchen also has special charm; this can be visited in the south tower of La Fortaleza. It is perhaps

the oldest on the island and constitutes a noteworthy example of XVI century architecture.

From the mahogany balcony which overlooks the second floor of the house, the lovely gardens can be seen with their great variety of decorative plants. A beautiful fountain decorated with Spanish tiles graces the centre of the garden.

The Guest House is situated in a corner of the garden. this is a building in modern style — rebuilt in 1966 — and is a fine example of the mixture of inspiration and styles that characterizes modern Puerto Rico.

The Homage Tower where the governor of the castle used, at critical times, to swear a solemn oath of loyalty and complete devotion to the defence of La Fortaleza, gives the visitor a wide and interesting panoramic view of the city.

Vista parcial del Fuerte de San Cristóbal.　　　　*Partial view of the Fort of San Cristóbal.*

CASTILLO DE SAN CRISTOBAL

Este baluarte se alza a espaldas del puerto y su artífice fue el irlandés O'Daly, ingeniero militar al servicio de la Corona española. El castillo, terminado hacia 1772, está compuesto por cinco núcleos independientes, con un completo sistema de túneles separados por un foso. El enemigo no podía tomarlo de un solo asalto y se veía obligado a conquistar cada reducto bajo el fuego de los defensores.

La solidez del castillo se puso de manifiesto en 1797, cuando Abercromby invadió la isla y fue rechazado por la heroica defensa de los puertorriqueños. Con tal motivo, Carlos IV concedió a la ciudad de San Juan el privilegio de incluir en su escudo el siguiente lema: «Por su constancia, amor y fidelidad es muy noble y leal esta ciudad».

SAN CRISTOBAL CASTLE

This bulwark is situated with its back to the port and was built by the Irishman O'Daly, a military engineer in the service of the Spanish crown. The castle was completed around 1772 and is made up of five independent parts with a complete system of tunnels separated by a moat. It would not be possible for the enemy to capture the castle at one single attack as they would have to capture each redoubt under fire from the defenders. The strength of the castle was exemplified in 1797 when Abercromby invaded the island and was repulsed by the heroic defence of the Puertoricans. As a result of this, Carlos IV conceded the city of San Juan the privilege of adding the following motto to its coat of arms: «For its constancy, love and fidelity, this city is most noble and loyal».

La Virgen de la Providencia, patrona de San Juan.

The Virgin of Providence, the patroness of San Juan.

Altar Mayor de la catedral de San Juan.

The High-Altar in San Juan cathedral.

CATEDRAL DE SAN JUAN

Empezó a construirse en 1521, año en que murió el conquistador Juan Ponce de León. Se edificó entonces una pequeña iglesia de madera y paja, que se derrumbó en 1526 debido a los efectos de una tormenta. A mediados del siglo XVI comenzó la construcción de la actual estructura. El edificio original ha desaparecido en su mayor parte y la obra que actualmente se puede contemplar data del siglo XIX.

En la catedral de San Juan están enterrados los despojos de Ponce de León. Su verdadero valor artístico estriba en los restos de la antigua construcción gótica que todavía se mantienen en la parte posterior y en las bóvedas. Se trata de los únicos vestigios góticos que se conservan en todo el Caribe y en gran parte de la América hispánica.

SAN JUAN CATHEDRAL

Building was undertaken in 1521, the year when the Conqueror Juan Ponce de León died. A small church of wood and straw was built then, but was destroyed in 1526 after a storm. The present building was begun towards the middle of the XVI century. The greater part of the original structure is no longer visible and what is now to be seen dated from the XIX century. The remains of Ponce de León are buried here in San Juan cathedral.

The artistic value of the building lies essentially in the remains of the former Gothic construction which is to be seen in the rear portion and in the roofing. These are the only Gothic remains that have been preserved in the whole Caribbean and a large part of Hispano-America.

La calle del Cristo de la Salud.

The street of the Cristo de la Salud.

Fachada y campanario de la Capilla del Cristo de la Salud y un aspecto del hermoso Parque de las Palomas.

The façade and bell-tower of the chapel of the Cristo de la Salud and a view of the beautiful Palomas Park.

Fachada de la Casa de España, una perspectiva del pintoresco Callejón de la Capilla y edificio ocupado por el Casino.

The façade of the Casa de España, a view of the picturesque Callejón de la Capilla and the Casino building.

Monumento al Descubrimiento de la Isla, en la Plaza de
Colón, y una típica calle de San Juan.

Monument to the Discovery of the Island, in the Plaza de
Colón, and a typical street in San Juan.

LA CASA DE ESPAÑA

Edificio de singular configuración, constituye una
magnífica muestra de la especial predisposición puertorriqueña para armonizar arquitectónicamente los
más diversos estilos. La Casa de España forma un
conjunto de torres, balcones, galerías, faroles y ador-
nos en terracota, que recuerdan la peculiar estructura
de los cortijos andaluces. El diseñador del edificio fue
el arquitecto Pedro A. de Castro. Este popular inmue-
ble alberga las dependencias de un club social
dedicado a la conservación del patrimonio español en
Puerto Rico.

LA CASA DE ESPAÑA

This is both an unusual building and a fine example of
the Puertorican disposition for harmonizing the most
disparate styles in architecture. The Casa de España is
composed of towers, balconies, lamps and terra-cotta
decorations which remind one of the style peculiar to
Andalusian country houses. The designer of the
building was the architect Pedro A. de Castro. This
popular building houses the dependencies of a social
club devoted to the conservation of the Spanish
patrimony in Puerto Rico.

EL ANTIGUO CASINO DE PUERTO RICO

Este edificio, de influencia barroca francesa, fue cons-
truido en 1918 para ser destinado a sede del Casino de
Puerto Rico.
En el interior merece especial mención el espacioso
Salón de Baile, primorosamente decorado por José
Albrizio.

THE OLD CASINO OF PUERTO RICO

This building, influenced by the French baroque style
was constructed in 1918 to be used as the casino of
Puerto Rico.
An outstanding feature inside the building is the
spacious Dance Hall, beautifully decorated by José
Albrizio.

TEATRO TAPIA

Recoge gran parte de la tradición cultural de la ciudad y su actual denominación constituye un homenaje a Alejandro Tapia y Rivera, gran mecenas de las artes puertorriqueñas. La historia de esta sala se remonta al siglo XIX, cuando los habitantes de San Juan contribuyeron a edificarla con los impuestos recaudados sobre el pan y las bebidas alcohólicas. En los primeros años de su historia, se llamaba Teatro Municipal. Por aquella época fue creada la Filarmónica, formada, en su totalidad por virtuosos locales.

La estructura actual del Teatro Tapia data de 1949 y fue diseñada por Julián Pasarell. En el interior, remodelado y modernizado en 1977, destaca la decoración del pintor romántico español Genaro Pérez Villaamil.

THE TAPIA THEATRE

This theatre contains much of the city's cultural tradition and its name is in homage to Alejandro Tapia y Rivera, the great patron of the arts in Puerto Rico. The history of this place goes back to the XIX century, when the inhabitants of San Juan contributed to its construction with taxes on bread and alcoholic drinks. During the initial years of its existence it was known as the Teatro Municipal (Municipal Theatre). At the same time a Philharmonic Society was created made up entirely by local virtuosos.

The present Tapia Theatre dates from 1949 and was designed by Julián Pasarell. The inside was remade and modernized in 1977, but the decoration by the Spanish romantic painter Genaro Pérez Villaamil is still preserved.

MUSEO DE LA FAMILIA PUERTORRIQUEÑA

En este Museo se ha logrado reconstruir fielmente el ambiente de un hogar acomodado de mediados del

Museo de la Farmacia, Casa del Libro y Museo de Bellas Artes de San Juan.

The Pharmacy Museum, Casa del Libro and San Juan Fine Arts Museum.

siglo XIX. Las pinturas de Campeche, Oller y Jordán completan el decorado.

THE PUERTORICAN FAMILY MUSEUM

In this museum, the atmosphere of a comfortable, mid XIX century household has been faithfully recreated. An intimate romantic atmosphere pervades all the exquisitely decorated rooms. Paintings by Campeche, Oller and Jordán provide the finishing touches.

MUSEO DE LA FARMACIA DEL SIGLO XIX

Exhibe una curiosa colección de objetos procedentes de la Farmacia Planellas de Cayey, junto con otras piezas adquiridas por el Instituto de Cultura Puertorriqueña. En la misma Casa de los Contrafuertes —soberbia mansión del siglo XVIII— donde se alojan el Museo de Santos y el de Farmacia, pueden contemplarse algunas otras colecciones de verdadero relieve: el Centro de Artesanía Taíno, y el Museo de Grabado Latinoamericano. El edificio aledaño alberga el Museo de Pablo Casals, dedicado a la memoria del genial compositor e intérprete que vivió durante largos años en la isla.

THE XIX CENTURY PHARMACY MUSEUM

Here there is a curious collection of objects from the Planellas Pharmacy at Cayey, together with other pieces acquired by the Institute of Puertorican Culture. In the Buttress House — a superb XVIII century mansion — containing the Saints' and the Pharmacy Museums, there are other outstanding collections, the Centre of Taíno Crafts and the Latin American Engravings Museum. The neighbouring building houses the Pablo Casals Museum, dedicated to the memory of the outstanding composer and instrumentalist who lived on the island for many years.

Vista aérea de Puerta de Tierra, con el Capitolio al frente.

Aerial view of Puerta de Tierra, with the Capitol in the foreground.

Bóveda del Capitolio, palacio legislativo de Puerto Rico.

The dome on the Capitol, Puerto Rico's legislative palace.

EL CAPITOLIO

El Capitolio, sede de la Legislatura bicameral puertorriqueña, se encuentra ubicado en el sector de Puerta de Tierra. Se accede al majestuoso edificio a través de siete puertas simbólicas, de norte a sur, sobre cuyos dinteles aparece labrado el nombre de cada uno de los distritos senatoriales en que se dividía la Isla antes de convertirse en Estado Libre Asociado de Puerto Rico. En el centro del primer piso se halla la urna en cuyo interior se conserva el original de la Constitución del Estado Libre Asociado de Puerto Rico.

La escalinata de Mármol que conduce a la segunda planta ostenta diseños decorativos a los dos lados. Dos columnas de mármol veteado se elevan desde el primer peldaño hasta el paramento. El plafón está rematado en yeso y luce decoraciones cuadradas y poligonales. A la altura del segundo piso se extienden dieciséis columnas de mármol rosado veteado, formando grupos de cuatro a cada lado y apareciendo como base de sustentación del entablamento de la balaustrada al nivel del tercer piso. Del nivel del plafón a éste se elevan cuatro amplios arcos que sirven de marco a las cuatro ventanas semicirculares de bronce y cristal esmerilado en la base de la cúpula.

La cúpula, concluida en 1961, consta de dos armazones, exterior e interior. Cubriendo las curvas pendientes hasta la cornisa principal de la rotonda, aparecen cuatro murales alegóricos hechos en mosaicos venecianos: escena alusiva a la fecha del Descubrimiento de Puerto Rico, obra de Rafael Ríos Rey; representación de la época de la conquista y co-

Ionización, panel pintado por José R. Oliver; evocación de la época del movimiento autonomista, que tuvo lugar en 1887, de Jorge Rechani; y una interpretación plástica de la abolición de la esclavitud, diseñada por Rafael Tufiño.

THE CAPITOL

The Capitol, seat of the Puertorican bicameral legislature, is situated in the Puerta de Tierra area. This majestic building is reached through seven symbolic doors, going from north to south, and above them is inscribed the name of each one of the senatorial districts into which the island was divided before becoming the Free Associated State of Puerto Rico. In the centre of the first floor of the Capitol stands an urn where the original constitution of the Free Associated State of Puerto Rico is kept.

The marble staircase leading to the second floor has decorative motifs on both sides. Two marble pillars rise from the first step to the parament.

The soffit is in plaster with square and polygonal decoration on it. On the second floor are sixteen rose-veined marble columns in groups of four on either side holding up the entablature of the balustrade on the third floor. From the ceiling to the third floor are four wide arches acting as a framework for the four semicircular windows in bronze and matt crystal at the base of the dome.

The dome, which was completed in 1961 consists of two structures, an outer and an inner one. Covering the curved part down to the main cornice of the central roof are four allegorical mural paintings in Venetian mosaic: one scene alludes to the date of the discovery of Puerto Rico and is by Rafael Ríos Rey, another represents the period of conquest and colonization painted by José R. Oliver; a third evokes the period of the movement for autonomy which took place in 1887 and is by Jorge Rechani, and the fourth depicting the abolition of slavery was designed by Rafael Tufiño.

Un aspecto del Fuerte de San Cristóbal.

A view of the San Cristóbal fort.

Perspectiva de las fortificaciones de San Cristóbal.

A view of the fortifications on San Cristóbal.

Cinco enfoques del muelle número uno.

Five shots of number one quay.

Vista parcial del puerto de San Juan.

A partial view of the port of San Juan.

INSTALACIONES PORTUARIAS Y EMBARCADERO

San Juan es, ante todo, una ciudad marinera. Y para conocerla hay que contemplarla a orillas del mar. Sobre todo en ese rincón donde todavía arriban las pequeñas embarcaciones y los barcos de vela que llegan a las islas como salidos de una estampa del pasado. Junto al embarcadero puede asistirse a una pintoresca subasta de pescado.

Las más modernas instalaciones portuarias ponen en contacto a la isla con los principales puertos de América, Africa y Europa. Hasta tal extremo, que, actualmente, San Juan es una de las escalas obligadas de todos los cruceros turísticos por las Antillas.

Desde el mar se contempla una de las imágenes más pintorescas de la ciudad amurallada. Un paseo en lancha, alrededor de la bahía de San Juan, ofrece al viajero magníficas perspectivas.

PORT INSTALLATIONS AND THE QUAYSIDE

San Juan is eminently a sea port, and to get to know it, one must see it on the sea shore, especially at the spot where small craft and sailing boats still arrive at the island just as if they has come out of an old painting.

Next to the quay there is a picturesque fish auction to be seen.

The most modern port facilities connect the island with the principal ports of America, Africa, and Europe, to such an extent that nowadays San Juan is one of the obligatory stopping places for all pleasure cruises in the Antilles.

From the sea, you can see one of the most picturesque views of the walled city. A sail in a launch around the bay of San Juan reveals some impressive sights to the tourist.

Vista del Fuerte de San Jerónimo con el Condado al fondo.

A view of the San Jerónimo Fort with El Condado in the background.

FUERTE DE SAN JERONIMO

Este pequeño fuerte fue construido a mediados del siglo XVI, sobre la zona de la Laguna del Condado, con la misión de defender, por tierra, la plaza de San Juan. El año 1595 este fuerte desempeñó un importante papel en la defensa de la ciudad al conseguir frustrar el desembarco de un numeroso contingente de fuerzas inglesas mandadas por Francis Drake. Reconstruido en el siglo XVII, a partir de entonces empezó a denominársele San Jerónimo del Bo-

querón. En el curso del último ataque inglés a la isla, efectuado en 1797, los defensores de San Jerónimo, al mando del capitán puertorriqueño Teodomiro del Toro, impidieron otra vez el desembarco del enemigo en San Juan.

Hacia 1957, el fuerte estaba en estado ruinoso y ese mismo año fue transferido al Instituto de Cultura Puertorriqueño. Esta Entidad restauró el Fuerte de San Jerónimo y lo convirtió en Museo de Historia Militar de Puerto Rico. En las diferentes salas se conservan interesantes colecciones de armas, banderas y uniformes utilizados por los españoles de la Isla desde el siglo XVI al XIX.

THE SAN JERONIMO FORT

This small fort was built in the middle of the XVI century in the area of the Condado Lagoon to defend San Juan on land. In 1595 this fort played an important part in the defence of the city by thwarting the disembarkation of a numerous contingent of English troops under the command of Francis Drake. The fort was rebuilt in the XVII century and after that was known as San Jerónimo del Boquerón. During the last attack on the island by English in 1797, those defending San

Cuatro aspectos del interesante Museo de Historia Militar en el Fuerte de San Jerónimo.

Four views of the interesting Military History Museum in the San Jerónimo Fort.

Vista aérea del Sector y Laguna del Condado.   *An aerial view of the Condado area and Lagoon.*

Jerónimo under the Puertorican Captain Teodomiro del Toro once more prevented the enemy from landing in San Juan. Around 1957, the fort was in ruins and was transferred in that year to the Institute of Puertorican Culture which restored the fort and made it into the Museum of Puertorican History. In the different rooms are interesting collections of arms, flags and uniforms worn by the Spaniards on the island from the XVI to the XIX century.

LA LAGUNA DEL CONDADO

La importancia del tráfico turístico ha impulsado la aparición de grandes hoteles, en esta zona de la Laguna del Condado, dignos de figurar entre los más lujosos y mejor atendidos del mundo. Se trata de espléndidos complejos hoteleros modernos y confortables como el fabuloso Caribe Hilton, el Condado Holiday Inn, el Centro de Convenciones, el Hotel Sheraton y el Howard Johnson. Hoteles todos de categoría superior, comparables a los construidos en el área de Isla Verde, entre los que cabe destacar los siguientes: San Juan, Americana, Racquet Club, El Palmar, Coco Mar y Caribbean Beach Club.
Además, una inteligente política turística impulsa y canaliza un ambicioso programa para promocionar el

Magnífica panorámica del Sector y Laguna del Condado.

A splendid panoramic view of the Condado area and Lagoon.

turismo puertorriqueño. Una red de Paradores, extendidos a lo largo y a lo ancho de la isla, facilitan la descentralización turística hacia otras regiones que también presentan un gran atractivo para el turista.

THE CONDADO LAGOON

The importance of the tourist trade has given rise to the building of some large hotels in this area of the Condado Lagoon which are worthy of ranking among the most luxurious and best served in the world. They are magnificent and comfortable modern hotel complexes such as the fabulous Caribbean Hilton, the Condado Holiday Inn, the Convention Centre, the Sheraton Hotel and the Howard Johnson Hotel. All the hotels are of superior rank, comparable to those built in the Isla Verde area, some of which are the San Juan, Americana, Racquet Club, El Palmar, Coco Mar, and the Caribbean Beach Club.

Furthermore, an intelligent tourist policy has organized an ambitious programme for promoting Puerto Rico as a holiday resort. A network of Tourist Inns stretching throughout the length and breadth of the island facilitates the decentralization of the tourist trade and opens up other regions which are also extremely attractive to the visitor.

Perspectivas de la maravillosa playa en el Sector del Condado.

Some views of the delightful beach in the Condado sea.

Magnífico primer plano de la playa.

An impressive close-up of the beach.

Centro de Convenciones del Condado, Hotel Condado
Beach y Hotel La Concha.

Condado Convention Centre, Condado Beach Hotel and
Hotel La Concha.

Tres espléndidas perspectivas del Centro de Convenciones
del Condado.

Three fine views of the Condado Convention Centre.

Panorámica del Sector de Miramar, en la Avenida Fernández Juncos, en Santurce.

A panoramic view of the Miramar area in the Fernández Juncos Avenue in Santurce.

Magnífica perspectiva del Sector de Miramar.

An impressive view of th Miramar area.

La Laguna del Condado.

The Condado Lagoon.

MIRAMAR

La playa, que ofrece su espléndido arenal, convierte Miramar en un lugar turístico de insuperable atractivo. Los elevados edificios de ultramoderna silueta armonizan en original síntesis paisajística con el agua, la arena y las palmeras. Pero, como contrapunto urbano, se alzan, no lejos de la playa, en el sector del Condado, el Monumento a Román Baldorioty de Castro —líder abolicionista y fundador del Partido Autonomista Puertorriqueño—, situado en la avenida que lleva su nombre y realizado por el español Juan de Avalos, y el Monumento al Indio, obra del escultor español Juan Orcera González, erigido en la zona denominada Ocean Park.

MIRAMAR

The beach here, with its wonderful sands has made Miramar an outstandingly attractive tourist centre. The ultramodern outline of the high rises are in original harmony with the sand, the sea and the palm trees. Then, by way of contrast, not far from the beach in the Condado area stands the monument to Román Baldorioty de Castro, the Abolitionist leader and founder of the Puertorican Autonomist Party, this is situated in the avenue that bears his name and was designed by the Spaniard Juan de Avalos; then there is the monument to the Indian by the Spanish sculptor Juan Orcera González, in the area known as Ocean Park.

Estatua de Simón Bolívar en el Parque Luis Muñoz Rivera, dos perspectivas del Sector de Miramar y vista aérea del hermoso edificio Caribe.

A statue to Simón Bolívar in the Luis Muñoz Rivera Park, two views of the Miramar area and an aerial view of the lovely Caribbean building.

Bello primer plano del Sector de Miramar.   *A fine close-up of the Miramar area.*

PARQUE LUIS MUÑOZ RIVERA

Bella zona verde situada cerca del sector de Miramar. En el centro del Parque Luis Muñoz Rivera, se alza la estatua de Simón Bolívar, El Libertador, donada a la capital puertorriqueña por el cónsul de Venezuela en San Juan, y otra del prócer Muñoz Rivera, obra del escultor puertorriqueño José Buscaglia.
En las cercanías, los perfiles de los grandes edificios modernos —entre los que descuella el del Hotel Caribe Hilton— se reflejan en el espejo de las aguas de la Laguna.

THE LUIS MUÑOZ RIVERA PARK

A lovely green area near to the Miramar district. In the centre of the Luis Muñoz Rivera Park stands the statue of Simón Bolívar, the Liberator, donated to the Puertorican Capital by the consul of Venezuela in San Juan, and also the statue of the eminent Muñoz Rivera, by the Puertorican sculptor José Buscaglia.
Round about, the silhouette of the great modern buildings — outstanding among them the Caribbean Hilton Hotel — is mirrored in the waters of the Lagoon.

Club Náutico de Miramar. *The Sailing Club of Miramar.*

CLUB NAUTICO

Esta importante entidad social está situada por delante de la zona en la que se alza la ultramoderna silueta del edificio del Hotel Borinquén, el más elevado de la Isla. El Club Náutico, que cuenta con espléndidas instalaciones, constituye un centro deportivo, social y recreativo de gran prestigio en la ciudad y pone de relieve la pujanza de la capital de Puerto Rico como población de gran atractivo turístico.

THE SAILING CLUB

This important social centre is in front of the area where the ultramodern building of the Hotel Borinquen stands, the highest on the island. The Sailing Club has some splendid facilities and is a highly prestigious centre for sports, social events and recreation in the city of San Juan, showing the advantages of Puerto Rico's capital as an enormously attractive tourist resort.

Tres aspectos del Aeropuerto Internacional en Isla Verde.

Three views of the International Airport on Isla Verde.

EL AEROPUERTO

Siendo el turismo una pujante industria, se comprende perfectamente la importancia que tiene el Aeropuerto Internacional, que está instalado en la Isla Verde.

La cifra de turistas que cada año visitan la Isla, no sólo San Juan, sino Ponce, Arecibo, Bayamón, Caguas o Mayagüez, supera el millón y la mayor parte de estos visitantes utiliza el avión como medio de transporte.

Las instalaciones del Aeropuerto Internacional son, pues, de lo más moderno como corresponde a su importancia. Las pistas de aterrizaje son espléndidas, amplias y bien cuidadas y permiten la necesaria fluidez del intenso tráfico aéreo. Al Aeropuerto Internacional llegan a diario aviones procedentes de todos los puntos del mundo, que vuelcan en la Isla legiones de turistas deseosos de conocer las bellezas de Puerto Rico.

THE AIRPORT

As tourism is an important industry here, it is understandable that the International Airport on the Isla Verde is of prime importance. The number of tourists visiting the island every year not only San Juan, but Ponce, Arecibo, Bayamón, Caguas and Mayagüez is more than one million, and the majority of these visitors come by air.

Thus the International Airport's facilities are of the most modern, corresponding to its status. The landing grounds are magnificent, spacious, and well looked after, allowing for the necessary flow of intense air traffic. Airplanes from every part of the world arrive here daily bringing multitudes of tourists anxious to experience the beauty and interest of Puerto Rico.

Panorámica de Hato Rey y Santurce.

Panoramic view of Hato Rey and Santurce.

Una hermosa perspectiva de Río Piedras.

A beautiful view of Río Piedras.

RIO PIEDRAS

Río Piedras, ciudad próxima a San Juan, fue incorporada a la capital de Puerto Rico el año 1952. Es sede de la prestigiosa Universidad de Puerto Rico, fundada en 1903. Se trata, por consiguiente, del centro cultural más importante de la Isla que conserva vivo el espíritu de la cultura española. A su Universidad acuden alrededor de 20.000 estudiantes que siguen los cursos académicos en las diversas facultades.

RIO PIEDRAS

Río Piedras is a city close to San Juan which was incorporated into the Puertorican capital in 1952. Seat of the prestigious University of Puerto Rico founded in 1903, it is therefore the most important cultural centre on the island.

Río Piedras keeps the spirit of Spanish culture alive and some 20,000 students follow the academic courses in the different faculties of its University.

Torre Roosevelt y fachada de la Universidad, ubicada en Río Piedras.

The Roosevelt Tower and the façade of the University in Río Piedras.

LA UNIVERSIDAD

Puerto Rico ha sido tradicionalmente uno de los centros educativos más activos del Nuevo Mundo.

La Universidad de Puerto Rico, establecida originalmente en Río Piedras, se ha expandido notablemente a diferentes ciudades y pueblos de la Isla a través de sus Colegios Regionales. La Torre Roosevelt de la Universidad de Puerto Rico levanta su planta en el edificio denominado, precisamente, La Torre, construido entre 1936 y 1937. Los arquitectos que dirigieron la construcción del edificio fueron Rafael Carmoega Morales y Bill Shimmelpfenning. En los Terrenos de la Universidad se levantan los monumentos a los poetas Juan Ramón Jiménez —Premio Nóbel de Literatura—, Luis Palés Matos y Pedro Salinas. El Museo de la Universidad es muy interesante. Fue diseñado por el arquitecto Henry Klumb e inaugurado en 1959. Su colección más importante es la de objetos arqueológicos y cuenta con salas de exposiciones permanentes y rodantes.

THE UNIVERSITY

Puerto Rico has traditionally been one of the most active centres for education in the New World. The University of Puerto Rico, originally established in Río Piedras has extended considerably to different cities and towns on the island through its Regional Colleges. The Roosevelt Tower on the University of Puerto Rico rises up from the building (known as The Tower), built between 1936 and 1937. The architects in charge of the enterprise were Rafael Carmoega Morales and Bill Shimmelpfenning. Monuments to the poets J. R. Jiménez — Nobel Prize Winner for Literature —, Luis Palés Matos, and Pedro Salinas are to be found in the University gardens.

The University also has an interesting Museum. Designed by the architect Henry Klumb and inaugurated in 1959, its most important collection is that of archaeological finds and it has both permanent and visiting exhibitions.

Monumentos a los poetas
Juan Ramón Jiménez,
Luis Palés Matos y Pedro
Salinas, en la
Universidad, y dos
aspectos del Museo.

Monuments to the poets
Juan Ramón Jiménez,
Luis Palés Matos and
Pedro Salinas in the
University, and two views
of the Museum.

Dos perspectivas de la paradisíaca Isla de Cabras.

Two shots of the paradise island of Cabras.

ISLA DE CABRAS

La Isla de Cabras, situada frente a San Juan, es un verdadero paraíso, un punto ideal para pasar unos días de descanso.

La playa es realmente deliciosa y a ella acuden los turistas en busca del sol puertorriqueño. La arena, sombreada por las palmeras aquí y allá, se ofrece como un regalo para los privilegiados bañistas que acuden a la Isla de Cabras, cuya sugestiva imagen quedará grabada en la retina del recuerdo.

THE ISLE OF CABRAS

This island, sited opposite San Juan is a true paradise and an ideal spot for having a few days' rest.
The beach is absolutely delightful and much frequented by sun bathers. The sand, shaded by scattered palm trees is a privileged place for the tourists who visit the island in search of the tropical sun.

Panorámica de la hermosa playa de Isla de Cabras.

A panoramic view of the beach on the island of Cabras.

*El tren, ubicado en la urbanización Levittown, popular
reliquia del pasado.*

*The train, a popular relic of the past, in the new
developed area of Levittown.*

CATAÑO

En la costa Norte y comprendida dentro del Area
Metropolitana se alza Cataño una de las localidades
que, con más cuidado, han sabido preservar las tradi-
ciónes y las costumbres de la vida isleña.
Entre las reliquias del pasado que ha sabido mantener,
merece especial mención el antiguo tren, utilizado
para transportar la cosecha azucarera, que aparece
estacionado entre árboles en los terrenos de la moderna urbanización Levittown. Esta zona residencial
pertenece ya a la demarcación del pueblo del Toabaja.

CATAÑO

On the northern coast, within the Metropolitan Area
is Cataño, one of the localities which has best
preserved and most jealously guarded the traditions
and customs of life on the island.
Among the many picturesque reminders of the past
preserved here is the old train used for transporting
the sugar cane crop which stops between the green
trees on the modern urban development area of Levittown, a residential area belonging to the village of
Toabaja.

Museo de Ponce de León y ruinas descubiertas en Caparra.

The Ponce de León Museum and some ruins discovered in Caparra.

BAYAMON

Está considerada como la ciudad más progresista de la Isla. Próxima al Area Metropolitana de San Juan, Bayamón cuenta con magníficos y modernos accesos por carretera. Activo centro industrial, en Bayamón se construyen nuevos edificios y áreas residenciales constantemente.

BAYAMON

Considered to be the most progressive city of the island, and close to the Metropolitan Area of San Juan, Bayamón is reached by new roadways. Being an active industrial centre, new buildings and residential areas are constantly under construction.

*La Alcaldía de Bayamón
y varios aspectos del
zoológico de Mayagüez.*

*The City Hall of Bayamón
and several shots of the
Zoo at Mayagüez.*

Primer plano de la Cueva del Indio en Arecibo.

A close-up of the indian's Cave in Arecibo.

ARECIBO

El origen de Arecibo es muy antiguo, pues ya en 1556 se tiene noticia de una aldea denominada La Ribera del Arecibo. Don Felipe Beaumont y Navarro, gobernador español de la Isla, le otorgó el título de población en el año 1616. Posteriormente, en enero de 1778, le fue reconocido el título de Villa mediante un decreto firmado por Carlos III de España.

Arecibo se alza en la costa norte de Puerto Rico, a unas 50 millas al oeste de San Juan. Actualmente, Arecibo es una ciudad con importante movimiento comercial e industrial, que cuenta con modernas zonas residenciales. Está muy bien comunicada y dotada incluso de aeropuerto.

ARECIBO

Arecibo is an old town, as in 1556 a village known as La Ribera del Arecibo was already mentioned.

Don Felipe Beaumont y Navarro, the Spanish governor of the island gave it the title of town in the year 1616.

Later on, in January of 1778, its title of *Villa* was recognized by a decree signed by King Charles III of Spain.

Arecibo is on the northern coast of Puerto Rico, some 50 miles to the west of San Juan. At the present time Arecibo is a city with important trade and industry and modern residential areas. It has many means of communication including an airport.

La Playa de Guajataca en Quebradillas.
The Guajataca beach at Quebradillas.

Vista parcial de Mayagüez.
A partial view of Mayagüez.

MAYAGÜEZ

Llamada la Sultana del Oeste, Mayagüez compagina perfectamente su blanca fisonomía de vieja ciudad con las modernas instalaciones fabriles y hoteleras. Su origen es anterior a la Declaración de la Independencia de los Estados Unidos de Norteamérica. Mayagüez ayudó en 1777 a los norteamericanos y en su puerto se refugiaron dos barcos de guerra perseguidos por los ingleses. Isabel II de España le concedió el título de Villa en 1836 y Alfonso XII, el de Ciudad en 1877. Mayagüez —cuyo centro urbano está en la Plaza de Colón— es hoy una ciudad de considerable vitalidad que cuenta con varios restaurantes y hoteles.

MAYAGÜEZ

Called the Sultana of the West, Mayagüez combines her white appearance characteristic of an ancient city with the presence of modern factories and hotels. The city dates from before the Declaration of Independence of the United States of America. Mayagüez, in the year 1777, helped the North Americans by allowing two warships being pursued by the English, to take shelter in her port. Isabel II of Spain gave it the title of *Villa* in 1836 and Alfonso XII the title of *City* in 1877.

Mayagüez, with its centre in the Plaza de Colón, is today a city of considerable vitality, with many modern hotels and restaurants.

Iglesia Católica y Plaza de Recreo de Mayagüez, con la estatua de Colón en el centro, y una vista general de la ciudad.

The Catholic church and Plaza de Recreo in Mayagüez with the statue of Columbus in the centre, also an overall view of the city.

Museo Porta Coeli —instalado en una antigua iglesia española del siglo XVII— y Universidad Interamericana de San Germán.

The Porta Coeli Museum — installed in an old XVII century Spanish church — and the Interamerican University of San Germán.

Varios aspectos de La Parguera, romántico rincón situado en las cercanías de Lajas, donde se puede contemplar el maravilloso e irrepetible espectáculo de su Lago Fosforescente.

Several views of La Parguera, a romantic corner situated near to Lajas where the marvellous and unique spectacle of its Phosphorescent Lake can be seen.

LA PARGUERA

En el suroeste de la Isla, se alza, de cara al mar, la bella población de La Parguera. Cuando la luna se oculta, las aguas de la hermosa bahía se convierten en un espejo sobre cuya superficie se reflejan luces fosforescentes, de llamas que se deslizan como peces ardientes o fuegos artificiales en noche de fiesta. El fenómeno se debe a la presencia de ciertos corpúsculos unicelulares que habitan en las aguas de La Parguera y que constituyen uno de los tesoros naturales más prodigiosos de la Isla. Su cuidado y protección están encomendados al Servicio Nacional de Parques.

No lejos del litoral de La Parguera se ha construido el mayor Laboratorio Marino de toda América del Sur. Este centro, adscrito a la Universidad de Puerto Rico, está situado en la Isla de Mona, que sirve también de refugio a las últimas iguanas de la región.

LA PARGUERA

In the south-east of the island facing the sea lies the lovely town of La Parguera. When the moon hides its face, the waters of this beautiful bay turn into a mirror reflecting the phosphorescent lights of flames darting like fiery fish or fireworks at a party. This phenomenon is due to the presence of certain unicellular corpuscles living in the waters of La Parguera, and these are one of the most prodigious natural treasures on the island. They are cared for and protected by the National Parks Service.

Nor far away from the shore of La Parguera, the largest Marine Laboratory in all South America has been built. This centre, afilliated to the University of Puerto Rico stands on the Isla de Mona which is also used as a refuge for the last iguanas of the region.

La Plaza Degetau y la Alcaldía de Ponce.

The Plaza Degetau ant the City Hall in Ponce.

PONCE

Ponce, la Perla del Sur, la segunda ciudad en importancia de la Isla, está convirtiéndose actualmente en un dinámico centro industrial. Pero conserva maravillosamente la herencia de su historia. La presencia española dejó en Ponce numerosos monumentos que van desde la gran Catedral hasta el pintoresco Parque de Bombas. Pero en época más reciente se han construido otros edificios tan notables como el Museo de Arte de Ponce, diseñado por el famoso arquitecto Edward D. Stone. La ceiba de Ponce, viejo árbol que ha cumplido ya los trescientos años, es uno de los más curiosos atractivos brindados por la población a sus visitantes.

La ciudad recibe su nombre del célebre conquistador español Juan Ponce de León, primer gobernador de la Isla de Puerto Rico. Los orígenes de la ciudad se remontan al año 1580, año en el que varios colonizadores españoles se asentaron a orillas del río Jacaguas. Los incesantes ataques de los indios caribes obligaron a los españoles a dejar aquella colonia para establecerse en las riberas del río Ponce.
Ponce fue fundada oficialmente el 17 de septiembre de 1692. En 1848 recibe el título de Villa y en 1877, el de Ciudad. Por aquel entonces Ponce era cabeza del departamento civil, militar y judicial formado por la villa de Coamo y los pueblos de Barros, Barranquitas, Aibonito, Adjuntas, Yauco, Guayanilla y Juana Díaz. Es muy interesante la Zona Histórica de Ponce, así

Monumento de Luis Muñoz Rivera, Plaza Degetau y campana del Ayuntamiento de la ciudad de Ponce.

A monument to Luis Muñoz Rivera, the Plaza Degetau and the Town Hall bell in the city of Ponce.

El histórico Parque de Bombas —situado detrás de la Catedral de Guadalupe— y Teatro La Perla, dos populares monumentos de Ponce.

The historic Parque de Bombas — located behind the cathedral of Guadalupe — and the La Perla Theatre, two popular sights in Ponce.

Aspecto interior del Museo de Arte de Ponce —diseñado por Durell Stone—, perspectiva exterior del Coliseo y vista de la moderna iglesia de Santa María.

An interior view of the Ponce Art Museum designed by Durell Stone, an outside view of the Coliseum, with a view of the modern church of Santa María.

como su Museo de Arte y su Biblioteca.
En Ponce funcionan modernas instalaciones hoteleras entre las que destaca el espléndido Ponce Holiday Inn.

PONCE

Ponce, Pearl of the South, the island's second city, is now becoming a dynamic industrial centre, but it is at the same time preserving its historical inheritance extremely well. The presence of the Spaniards left many monuments in Ponce, from the great cathedral to the picturesque Parque de Bombas. But more recently other noteworthy buildings have appeared like the Ponce Art Museum designed by the famous architect Edward D. Stone. The *ceiba* at Ponce, an old siek-cotton tree now 300 years old, is one of the most curious attractions that the city offers to its visitors.

The city was named after the famous Spanish conquistador Juan Ponce de León, first governor of the island of Puerto Rico. The city's origins go back to the year 1580 when several Spanish colonizers settled on the banks of the river Jacaguas. Incessant attacks from the Caribbean indians obliged the Spaniards to leave that colony and settle on the banks of the river Ponce. The city was oficially founded on September 17th 1692. In 1848 it was given the title of *Villa* and in 1877 that of *City*. At that time Ponce was at the head of the civil military and judicial area made up of the town of Coamo and the villages of Barros, Barranquitas, Aibonito, Adjuntas, Yauco, Guayanilla and Juan Díaz. The historical part of Ponce is extremely interesting as is its Art Museum and Library.

There are some fine modern hotels in Ponce, outstanding among them being the magnificent Ponce Holiday Inn.

*La ceiba de
Ponce.*

*The old
ceiba at
Ponce.*

Vista parcial de Jayuya.

A partial view of Jayuya.

JAYUYA

A través de una serpenteante carretera se llega a los pueblos de Utuado, Adjuntas Jayuya y Lares. En medio de la Cordillera se encuentra Barranquitas, aldea enclavada en la cima de la montaña. Jayuya se constituyó como municipio independiente en 1911. Entre sus monumentos destacan, la iglesia católica, la estatua de Nemesio R. Canales y el busto del Cacique Indio Jayuya, obra del escultor puertorriqueño Tomás Batista.

JAYUYA

The villages of Utuado, Adjuntas, Jayuya and Lares are reached by a winding road, and in the middle of the mountain range is Barranquitas, a village perched on the top of a mountain.

Jayuya was made an independent municipality in 1911. Among its monuments are the Catholic church, the statue of Nemesio R. Canales and the bust of the Indian leader Jayuya, by the Puertorican sculptor Tomás Batista.

Parador Nacional Gripiñas, estatuas de Nemesio R. Canales y del Cacique Jayuya.

The Gripiñas National Tourist Inn, statues of Nemesio R. Canales and the chief Jayuya.

Piezas indígenas de la Cultura Taína e Igneri (Colección Collazo) y tallas de santos.

Native objects of the Taina and Igneri Culture (Collazo collection) and carvings of Saints.

Perspectiva del Lago Dos Bocas y primer plano de la Plaza de Recreo con la Iglesia Católica al fondo, en Utuado.

A view of the Dos Bocas Lake and a close-up of the Plaza de Recreo with the Catholic church in the background, at Utuado.

Tres aspectos del Centro Ceremonial Indígena de Utuado, en cuyo Museo se conservan valiosas piezas de arqueología puertorriqueña.

Three views of the Indigenous Ceremonial Centre at Utuado where valuable pieces of Puertorican archaeology have been preserved.

UTUADO

Es uno de los pueblos situado en la Cordillera Central. Utuado está señoreado por la presencia del maravilloso Lago Dos Bocas. Del conjunto urbano de Utuado destaca el sugestivo pintoresquismo de sus calles y la belleza de la Plaza de Recreo, al lado de la cual se alza el edificio de la Iglesia Católica.

Merece especial mención el Centro Ceremonial Indígena, parque ubicado en el barrio Caguana de Utuado. Constituye el yacimiento arqueológico más importante de las Antillas y es el exponente más representativo de la ingeniería primitiva.

En estas plazas del Centro Ceremonial Indígena celebraban los indios diversos actos religiosos. También se desarrollaba en ellas el *batey,* especie de juego de pelota practicado por los indígenas.

En los alrededores del parque se ha creado un jardín botánico y cerca del Centro Ceremonial se ha fundado un pequeño Museo Arqueológico.

UTUADO

This is one of the villages in the central mountain range. Utuado is dominated by the presence of the marvellous Dos Bocas lake. In Utuado there are some evocatively picturesque streets and a beautiful square — la Plaza de Recreo — beside which is the Catholic church.

The Indigenous Ceremonial Centre, a park situated in the Caguana district at Utuado is worthy of mention as being the most important archaeological deposit in the Antilles and the most representative example of primitive engineering.

In the squares of the Indigenous Ceremonial Centre the indians celebrated diverse religious acts. Also they performed the *batey,* which was a sort of pelota game practised by the natives.

A botanical garden has been made in the outskirts of the park and close to the Ceremonial Centre a small Archaeological Museum has been founded.

Colegio Universitario, Iglesia Católica y centro comercial de Cayey.

The University College, Catholic Church and commercial centre at Cayey.

Caguas: vista de la Plaza de Recreo, el tradicional reloj de sol y el Centro Gubernamental.

Caguas: view of the Plaza de Recreo, the traditional sun clock and local Government Centre.

CAGUAS

Se trata de una de las ciudades más atractivas de Puerto Rico. Está situada en medio de un hermoso valle, a 15 millas al sur de San Juan. La ciudad recibe su nombre de *Caguax,* jefe de la tribu india que vivía a orillas del Río Turabo, en el valle donde actualmente se asienta la población.

Caguas se constituyó en municipio mediante un Decreto Real de 1812. Hacia 1821 se fueron trazando sus calles y la ciudad se fue estructurando de acuerdo con su aspecto actual. El año 1894, un Decreto Real otorgaba a Caguas el título de ciudad.

Empezó por ser un importante centro agrícola. Todavía, actualmente, son las plantaciones de caña de azúcar y tabaco dos de las principales fuentes de riqueza de Caguas. Hoy es una población de gran vida comercial.

La primera casa edificada por los españoles en Caguas fue la de Ponce de León.

CAGUAS

This is one of the most attractive cities in Puerto Rico, situated in the middle of a lovely valley 15 miles south of San Juan. The city gets its name from *Caguax,* the chief of the indian tribe that lived on the banks of the river Turabo in the valley where the city now stands. Caguas was made a municipality by Royal Decree in 1812. Around 1821 streets were made and the city developed on the lines of its present appearance. In 1894 another Royal Decree authorized Caguas the title of city.

Caguas began by being an important agricultural centre and even now its plantations of sugar cane and tobacco are two of its main sources of income, so it is a place with a great deal of commercial vitality.

The first house built here by the Spaniards in Caguas was the one belonging to Ponce de León.

*Plaza de Recreo e Iglesia
Católica de Guayama y
templo católico de
Humacao.*

*The Plaza de Recreo and
Catholic churches of
Guayama and Humacao.*

Vista parcial de Palmas del Mar.

Partial view of Palmas del Mar.

Pico de El Yunque.

The summit of El Yunque.

GUAYAMA

Sugestiva localidad, cuyas modernas y blancas construcciones alternan armoniosamente con sus antiguas edificaciones. El centro de la población es la hermosa Plaza de Recreo y su monumento más característico es el edificio de la Iglesia Católica.

HUMACAO

Encantadora población de la costa sudeste. Dentro del recinto urbano destaca el blanco edificio de la Iglesia Católica. Humacao ofrece parajes de gran atractivo, como Palmas de Mar, dotado de magníficas instalaciones deportivas.

GUAYAMA

A delightful locality whose modern white buildings alternate harmoniously with its older constructions, giving an interesting look to the town.
The centre of this locality is the lovely Plaza de Recreo and its most characteristic monument the local Catholic church.

HUMACAO

A charming town on the south-east coast, with its white Catholic church standing out in the centre.
There are many attractive spots in Humacao, such as Palmas de Mar, all having fine sports amenities.

Vista aérea de Costa Azul y Playa de Luquillo.

An aerial view of Costa Azul and the Luquillo beach.

LUQUILLO

La playa de Luquillo es la más conocida y frecuentada de toda la Isla. Está situada a los pies del bosque experimental de El Yunque (El Yunque Rain Forest) y es una de las mayores y más sugestivas playas naturales del mundo.

En esta sorprendente comarca se pasa casi de repente, sin la menor transición, de la costa soleada y cálida al bosque lluvioso y verde en el que crecen más de doscientas especies de árboles tropicales. El bosque de El Yunque, siempre florido y arrullado por la poética canción de los riachuelos, es uno de los lugares más interesantes e impresionantemente hermosos de Puerto Rico.

LUQUILLO

The beach at Luquillo is the best known and most frequented on the whole island. Situated at the foot of El Yunque Rain Forest, an experimental area, it is one of the largest and most delightful natural beaches in the world.

In this surprising area, you can go, almost imperceptibly, without any impression of change, from the warm sunny coast to the green rain forest where more than 200 species of tropical trees grow.

El Yunque Forest, always full of bloom and lulled by the poetical song of its streams, is one of the most interesting and impressively lovely places in Puerto Rico.

Playa de Luquillo, con el bosque de El Yunque al fondo.

Luquillo beach with the El Yunque Rain Forest in the background.

FAJARDO

Numerosas playas, limpias y vírgenes, aparecen a lo largo de la costa puertorriqueña: Salinas, en el sur, Rincón, en el oeste, y Mar Chiquito, Cerro Gordo y Guajataca, en el norte. Todas ellas tienen el encanto de las playas tropicales, bañadas por una luz transparente que se refleja en las aguas azules, en las arenas claras o en los abanicos verdes de las palmas de coco. Fajardo es uno de los puntos más originalmente bellos del litoral de la Isla. Sardinera, encantadora villa turística, constituye un poderoso incentivo para el visitante. Otro atractivo de Fajardo es el Hotel El Conquistador, el más lujoso del Caribe.

FAJARDO

Many clean virgin beach appear along the Puertorican coastline, — Salinas in the south, Rincón in the west, and Mar Chiquito, Cerro Gordo and Guajataca in the north. All of them have the charm of tropical beaches and are bathed in a transparent light which is reflected in the blue waters, the clean sands and in the green leaves of the coconut palms.
Fajardo is one of the most originally beautiful spots on the island's shores. Sardinera, an enchanting tourist town is a great attraction for the visitor. Another of Fajardo's charms is the Hotel El Conquistador, the most luxurious in the Caribbean.

La «Marina» de Puerto Chico y la iglesia de Fajardo.

The sailing Club of Puerto Chico and Catholic church at Fajardo.

Escena típica en una de las interesantes ferias de objetos de artesanía que se celebran en la Isla y pavas, tradicionales sombreros del país.

A typical scene at one of the interesting fairs of craft work which take place on the island, and pavas, the country's traditional headgear.

ARTESANIA PUERTORRIQUEÑA

En todo Puerto Rico se ha popularizado la celebración de ferias en las que se exponen objetos de artesanía de diversos pueblos de la Isla. El campesino puertorriqueño, con sus manos acostumbradas a trabajar la tierra, ha sabido crear también los objetos destinados al ocio y al descanso: hamacas, flores artificiales e instrumentos musicales.

La talla en madera todavía conserva hábiles cultivadores en la Isla. También son interesantes los objetos domésticos —alfombras, canastos, sombreros— hechos artesanalmente.

El Instituto de Cultura Puertorriqueña ha creado en San Juan el Centro de Artes Populares, donde se venden bellos productos de la artesanía isleña.

PUERTORICAN HANDICRAFTS

In all Puerto Rico the celebration of fairs has become very popular; in these craft work from different villages on the island is exhibited. The Puertorican peasant with his hands accustomed to work on the land, has also been able to create objects to be used for leisure and relaxation, hammocks, artificial flowers, and musical instruments.

Wood carving still has some able exponents on the island. Domestic objects are also interesting, — carpets, baskets, hats, — all made by hand.

The Institute of Puertorican Culture has established the Popular Arts Centre in San Juan where these lovely hand made things are on sale.

Diversas piezas de artesanía puertorriqueña, que ofrece variedades de entrañable factura y vistoso colorido.

Several pieces of Puertorican craftwork, beautifully made in attractive colours.

GASTRONOMIA ISLEÑA

Puerto Rico cuenta con unos cuantos platos típicos de acusada personalidad culinaria. Entre ellos destacan por méritos propios el sancocho o cocido nativo, el mondongo y el asopao de pollo o de gan-dules. En las fiestas navideñas, el plato estelar es el lechón asado con arroz con gandules, acompañado de pasteles y guineitos verdes.

La serenata de bacalao, las viandas cocidas y las ensaladas constituyen asimismo platos típicamente puertorriqueños.

Platos típicos y frutas de Puerto Rico, isla con acusada personalidad gastronómica.

Puerto Rico's typical dishes and fruits; the island has a strong gastronomic personality.

Mangos, plátanos, piñas, cocos...: en la Isla abundan las más exquisitas frutas.

Mangoes, bananas, pine apples, coconuts... the most exquisite of fruits abound on the island.

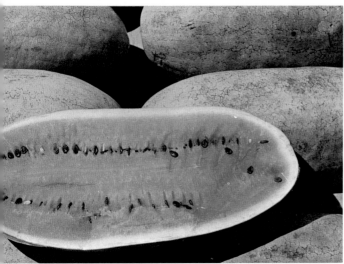

Varios aspectos de la extraordinaria riqueza que caracteriza a la flora puertorriqueña y Reinita, ave-símbolo de la Isla.

Several shots of the extraordinary richness characterizing Puerto Rico's flora, and Reinita, the bird-symbol of the island.

Dos aspectos de un frondoso árbol de Flamboyán.

Two views of a luxuriant Flamboyan tree.

PUERTORICAN COOKING

Puerto Rico has some typical dishes which are highly distinctive. Among these the most outstanding are, — the *sancocho* or local stew, the *mondongo,* and the *asopao* of chicken or *gandules.* For Christmas, the main dish is sucking pig, roasted with rice and *gandules,* accompanied by cakes and green *guineitos. Serenata* of codfish, cooked meats and salads constitute the most typical of Puertorican dishes.

FRUTOS

La suavidad del clima tropical que goza Puerto Rico favorece el cultivo de las más diversas especies de frutos tropicales, desde la caña de azúcar, el algodón, el café y el tabaco —considerables fuentes de riqueza de la Isla— hasta guineos, plátanos, piñas, mangos, naranjas, aguacates, guayabas, sin olvidar el panapén o «fruta de pan».

Toda la Isla viene a ser un florido huerto. La maga, símbolo nacional, la orquídea, el tulipán africano, la flor del gengibre o los espléndidos flamboyanes ponen un toque luminoso y colorista al paisaje. Y, como un manto protector, la ceiba, uno de los símbolos nacionales más entrañables, extiende sus añosas ramas por la fisonomía ponceña.

FRUIT

The mildness of the tropical climate enjoyed by Puerto Rico favours the cultivation of the most varied types of tropical fruit — sugar cane, coffee, cotton and tobacco, which bring in a good income for the island, and *guineos,* bananas, pine apples, mangoes, oranges, avocado pears, guavas, not forgetting bread fruit or *panapén.*

The whole island is a sort of floating orchard. The *maga,* the national symbol, the orchid, the African tulip, the ginger flower or the splendid flamboyants lend a luminous and colourful note to the countryside. And, like a protective arm, the *ceiba,* one of the best loved national symbols, stretches its aged branches.

Escenas de «surfing», golf, caballos de paso fino y pesca-vela —deportes muy difundidos en la Isla— y monumento al famoso pelotero Roberto Clemente.

Scenes of «surfing», golf, horses doing the «paso fino» step and fishing — all very popular sports on the island, also a monument to the famous pitcher Roberto Clemente.

Diversos aspectos del sugestivo folklore puertorriqueño.

Several views of Puerto Rico's delightful folklore.

DEPORTES

En los grandes hoteles de la Isla funcionan piscinas y campos de tenis y de golf. Casi todos los pueblos del litoral tienen clubs náuticos y embarcaderos a disposición de los aficionados a la práctica de la navegación y de la pesca. Un deporte muy popular en las playas puertorriqueñas es el *surfing.* Asimismo, el beisbol ha sido asimilado y enriquecido con figuras de gran talla, entre las que destaca Roberto Clemente.

SPORTS

There are swimming pools, golf courses and tennis courts in all the large hotels on the island. Almost every village on the coast has a sailing club and quays for those fond of fishing and sailing. Surfing is a very popular sport on the beaches of Puerto Rico. Also, mention must be made of base-ball, a sport which Puerto Rico has assimilated and enriched with eminent players such as Roberto Clemente.

FOLKLORE

Puerto Rico cuenta con un vistoso y variado folklore. En la montaña se ha preservado en toda su pureza el baile jíbaro y todavía se conservan danzas tan pintorescas como «El Aguinaldo de las Flores» o, ya en la costa, la de «la bomba».
Entre las más. viejas tradiciones isleñas, figuran «la pelea de gallos», aunque también tienen gran arraigo las exhibiciones de caballos de paso fino.

FOLKLORE

This aspect of life in Puerto Rico is both colourful and varied. In the mountains, the *jíbaro* dance has been preserved in all its purity and such picturesque dances as «The Gift of Flowers» or, from the coastal area, the «Bomba» are still kept alive.
Among the oldest island traditions are cock fighting and exhibitions of horses moving in the «paso fino» style.

Tres hermosas perspectivas de Santo Tomás.

Three fine views of Saint Thomas.

SANTO TOMAS

Desde Puerto Rico pueden realizarse innumerables excursiones a las pequeñas islas más próximas del Caribe, en las que se descubre la tradicional hospitalidad de dichos pueblos. En las Islas Vieques y Culebras se hallan algunas de las mejores playas de Puerto Rico, playas de arenas blancas y aguas cristalinas.

En pocos minutos de vuelo, que efectúan confortables avionetas, o en un paseo por mar, llevado a cabo por pequeños barcos, se llega asimismo hasta Santo Tomás, la mayor de las paradisíacas Islas Vírgenes. Tradicional refugio de piratas, estas islas conservan la atmósfera más romántica y evocadora del viejo Caribe.

En Santo Tomás se han construido magníficos complejos hoteleros a fin de dar acogida a los visitantes que arriban atraídos por la belleza de su paisaje y el cautivador encanto de sus costas, muy apropiadas para la práctica de la pesca submarina.

SAINT THOMAS

There are an infinite number of excursions to be taken from Puerto Rico to the closer small islands on the Caribbean where the traditional local hospitality can be savoured. Some of the best beaches in Puerto Rico are on the Vieques and Culebras islands; here the sand is white and the water crystal clear.

A few minutes away by air in comfortable small planes or on a sea trip by small boat, you can reach Saint Thomas, the largest of the paradisiac Virgin Islands; the traditional refuge of pirates, these islands preserve the most romantic and evocative atmosphere of the old Caribbean.

Fine hotel complexes have been built in Saint Thomas to accommodate the visitors who come to contemplate its beautiful countryside or the delightful charm of its coast where they can do some underwater fishing.

La pequeña rana llamada coquí, símbolo vivo de la Isla.

The small tree frog called the coquí, *the living symbol of the island.*

EL COQUI Y LA REINITA, SIMBOLOS VIVOS DE PUERTO RICO

El coquí es un batracio que tiene los dedos libres y con ventosas. No es palmeado y carece de membrana natatoria entre los dedos de los pies y las manos. El coquí —*pequeño sapito,* como se le llama en Puerto Rico— no tiene, cuando nace, más que un minúsculo rabo que en seguida desaparece. Mide aproximadamente unos 35 mm y el vientre, la parte posterior de los muslos y la ingle ostentan una coloración roja o rosada, si bien el color del coquí varía considerablemente, apareciendo a veces matizado de vetas o con dos bandas dorsolaterales. Los ojos son rojizodorados. Una de las características de la ranita puertorriqueña consiste en que no pasa por la fase intermedia de renacuajo como las demás ranas. Es un animalito muy popular en toda la Isla y alegra las noches puertorriqueñas con su tímido «co-quí», canto del que deriva su nombre.
Otro símbolo vivo de Puerto Rico es la Reinita, el ave que más abunda en la isla. Es de pequeño tamaño y se alimenta de néctares, jugos de frutas e insectos. Ave muy mansa, frecuenta los jardines y los patios.

THE COQUI (TREE FROG) AND THE REINITA — LIVING SYMBOLS OF PUERTO RICO

The *coquí* is a batrachian having two separate toes with suckers. It is not web-footed and has no swimming membrane between its fingers and toes. The *coquí* — little toad —, as it is called in Puerto Rico, has only a minute tail when it is born, and this quickly disappears. It measures approximately 35 mm and the stomach, the rear part of the thighs and groin are red or pink in colour although the colour of the tree frog varies considerably, sometimes having touches of different colours or two dorsolateral stripes. Its eyes are reddish-gold. One of the characteristics of the Puertorican tree frog is that is does not go through the intermediate phase of being a tadpole as other frogs do. It is a very popular creature throughout the island and livens up the evenings with its timid «ko-kee» from which it gets its name.
Another symbol of Puerto Rico is the Reinita, the most common bird on the island. It is small in size. It feeds on nectar, fruit juice and insects and is very tame and so often seen in gardens and courtyards.

Indice

Contents

AGRADECIMIENTO:

Agradecemos la valiosa colaboración de las entidades y personalidades puertorriqueñas que han participado en la realización de esta obra.

ACKNOWLEDGEMENT:

Our thanks are due to the Puertorican institutions and also to the people who have participated with their valuable collaboration to the making of this book.

Colección TODA EUROPA

		Español	Francés	Inglés	Alemán	Italiano	Catalán	Holandés	Sueco	Portugués	Japonés	Árabe
1	ANDORRA	■	■	■	■	■	■	□	□	□	□	□
2	LISBOA	■	■	■	■	■	□	□	□	■	□	□
3	LONDRES	■	■	■	■	■	□	□	□	■	□	□
4	BRUJAS	■	■	■	■	□	■	□	□	□	□	□
5	PARIS	■	■	■	■	■	□	□	□	□	□	□
6	MONACO	■	■	■	■	□	□	□	□	□	□	□
7	VIENA	■	■	■	■	■	□	□	□	□	□	□
8	NIZA	■	■	■	■	■	□	□	□	□	□	□
9	CANNES	■	■	■	■	□	□	□	□	□	□	□
10	ROUSSILLON	■	■	■	■	□	□	□	□	□	□	□
11	VERDUN	■	■	■	■	□	□	□	□	□	□	□
12	LA TORRE DE LONDRES	■	■	■	■	□	□	□	□	□	□	□
13	AMBERES	■	■	■	■	■	□	□	□	□	□	□
14	LA ABADIA DE WESTMINSTER	■	■	■	■	□	□	□	□	□	□	□
15	ESCUELA ESPAÑOLA DE EQUITACION DE VIENA	■	■	■	■	□	□	□	□	□	□	□
16	FATIMA	■	■	■	■	□	□	□	□	□	□	□
17	CASTILLO DE WINDSOR	■	■	■	■	□	□	□	□	□	□	□
18	LA COSTA DE OPALO	□	■	■	■	□	□	□	□	□	□	□
19	LA COSTA AZUL	■	■	■	■	■	□	□	□	□	□	□
20	AUSTRIA	□	■	■	■	■	□	□	□	□	□	□
21	LOURDES	■	■	■	■	■	□	□	□	□	□	□
22	BRUSELAS	■	■	■	■	■	□	□	□	□	□	□
23	PALACIO DE SCHÖNBRUNN	■	■	■	■	■	□	□	□	□	□	□
24	RUTA DEL VINO DE OPORTO	■	■	■	■	■	□	□	□	□	□	□
25	CHIPRE	□	■	■	■	□	□	□	■	□	□	□
26	PALACIO DE HOFBURG	■	■	■	■	■	□	□	□	□	□	□
27	ALSACIA	■	■	■	■	■	□	□	□	□	□	□
28	RODAS	■	■	■	■	■	□	□	□	□	□	□
29	BERLIN	■	■	■	■	■	□	□	□	□	□	□

Colección ARTE EN ESPAÑA

		Español	Francés	Inglés	Alemán	Italiano	Catalán	Holandés	Sueco	Portugués	Japonés	Árabe
1	PALAU DE LA MUSICA CATALANA	■	■	■	■	□	■	□	□	□	□	□
2	GAUDI	■	■	■	■	■	□	□	□	□	■	□
3	MUSEO DEL PRADO I (Pintura Española)	■	■	■	■	■	□	□	□	□	□	□
4	MUSEO DEL PRADO II (Pintura Extranjera)	■	■	■	■	■	□	□	□	□	□	□
5												
6	CASTILLO DE XAVIER	■	■	■	■	□	□	□	□	□	■	□
7	MUSEO DE BELLAS ARTES DE SEVILLA	■	■	■	■	□	□	□	□	□	□	□
8	CASTILLOS DE ESPAÑA	■	■	■	■	□	□	□	□	□	□	□
9	CATEDRALES DE ESPAÑA	■	■	■	■	□	□	□	□	□	□	□
10	CATEDRAL DE GERONA	■	■	■	■	□	□	□	□	□	□	□
11	GRAN TEATRO DEL LICEO DE BARCELONA	■	■	■	■	□	■	□	□	□	□	□
12	ROMANICO CATALAN	■	■	■	■	□	■	□	□	□	□	□
13	LA RIOJA: TESOROS ARTISTICOS Y RIQUEZA VINICOLA	■	■	■	■	□	□	□	□	□	□	□
14	PICASSO	■	■	■	■	□	□	□	□	□	□	□
15	REALES ALCAZARES DE SEVILLA	■	■	■	■	□	□	□	□	□	□	□
16	PALACIO REAL DE MADRID	■	■	■	■	■	□	□	□	□	□	□
17	EL ESCORIAL	■	■	■	■	□	□	□	□	□	□	□
18	VINOS DE CATALUÑA	■	□	□	□	□	■	□	□	□	□	□
19	LA ALHAMBRA Y EL GENERALIFE	■	■	■	■	□	□	□	□	□	□	□
20	GRANADA Y LA ALHAMBRA (MONUMENTOS ARABES Y MORISCOS DE CORDOBA, SEVILLA Y GRANADA)	■	□	□	□	□	□	□	□	□	□	□
21	PALACIO REAL DE ARANJUEZ	■	■	■	■	□	□	□	□	□	□	□
22	PALACIO DE EL PARDO	■	■	■	■	□	□	□	□	□	□	□
23	CASAS REALES	■	■	■	■	□	□	□	□	□	□	□
24	PALACIO DE LA GRANJA	■	■	■	■	□	□	□	□	□	□	□
25	SANTA CRUZ DEL VALLE DE LOS CAIDOS	■	■	■	■	□	□	□	□	□	□	□

Colección TODA ESPAÑA

		Español	Francés	Inglés	Alemán	Italiano	Catalán	Holandés	Sueco	Portugués	Japonés	Árabe
1	TODO MADRID	■	■	■	■	■	□	□	□	□	■	□
2	TODO BARCELONA	■	■	■	■	■	■	□	□	□	■	□
3	TODO SEVILLA	■	■	■	■	■	□	□	□	□	■	□
4	TODO MALLORCA	■	■	■	■	■	□	□	□	□	□	□
5	TODO LA COSTA BRAVA	■	■	■	■	■	□	□	□	□	□	□
6	TODO MALAGA y su Costa del Sol	■	■	■	■	■	□	□	□	□	□	□
7	TODO CANARIAS, Gran Canaria, Lanzarote y Fuerteventura	■	■	■	■	■	□	■	□	□	□	□
8	TODO CORDOBA	■	■	■	■	■	□	□	□	□	■	□
9	TODO GRANADA	■	■	■	■	■	□	□	□	□	□	□
10	TODO VALENCIA	■	■	■	■	■	□	□	□	□	□	□
11	TODO TOLEDO	■	■	■	■	■	□	□	□	□	□	□
12	TODO SANTIAGO	■	■	■	■	■	□	□	□	□	□	□
13	TODO IBIZA y Formentera	■	■	■	■	■	□	□	□	□	□	□
14	TODO CADIZ y su Costa de la Luz	■	■	■	■	□	□	□	□	□	□	□
15	TODO MONTSERRAT	■	■	■	■	□	■	□	□	□	□	□
16	TODO SANTANDER y Costa Esmeralda	■	■	■	■	□	□	□	□	□	□	□
17	TODO CANARIAS, Tenerife, La Palma, Gomera, Hierro	■	■	■	■	■	□	■	□	□	□	□
18		□	□	□	□	□	□	□	□	□	□	□
19		□	□	□	□	□	□	□	□	□	□	□
20	TODO BURGOS, Covarrubias y Santo Domingo de Silos	■	■	■	■	□	□	□	□	□	□	□
21	TODO ALICANTE y su Costa Blanca	■	■	■	■	■	□	□	□	□	□	□
22	TODO NAVARRA	■	■	■	■	□	□	□	□	□	□	□
23	TODO LERIDA provincia y Pirineos	■	■	■	■	□	■	□	□	□	□	□
24	TODO SEGOVIA y provincia	■	■	■	■	□	□	□	□	□	□	□
25	TODO ZARAGOZA y provincia	■	■	■	■	□	□	□	□	□	□	□
26	TODO SALAMANCA y provincia	■	■	■	■	□	□	□	□	□	□	□
27	TODO AVILA y provincia	■	■	■	■	□	□	□	□	□	□	□
28	TODO MENORCA	■	■	■	■	□	□	□	□	□	□	□
29	TODO SAN SEBASTIAN y provincia	■	■	■	■	□	□	□	□	□	□	□
30	TODO ASTURIAS	■	■	■	■	□	□	□	□	□	□	□
31	TODO LA CORUÑA y Rías Altas	■	■	■	■	□	□	□	□	□	□	□
32	TODO TARRAGONA y provincia	■	■	■	■	□	□	□	□	□	□	□
33	TODO MURCIA y provincia	■	■	■	■	□	□	□	□	□	□	□
34	TODO VALLADOLID y provincia	■	■	■	■	□	□	□	□	□	□	□
35	TODO GIRONA y provincia	■	■	■	■	□	■	□	□	□	□	□
36	TODO HUESCA y su provincia	■	■	■	■	□	□	□	□	□	□	□
37	TODO JAEN y su provincia	■	■	■	■	□	□	□	□	□	□	□
38	TODO ALMERIA y su provincia	■	■	■	■	□	□	□	□	□	□	□
39	TODO CASTELLON y su costa del Azahar	■	■	■	■	□	□	□	□	□	□	□
40	TODO CUENCA y su provincia	■	■	■	■	□	□	□	□	□	□	□
41	TODO LEON y su provincia	■	■	■	■	□	□	□	□	□	□	□
42	TODO PONTEVEDRA, VIGO y Rías Bajas	■	■	■	■	□	□	□	□	□	□	□
43	TODO RONDA	■	■	■	■	■	□	□	□	□	□	□
44	TODA SORIA	■	■	■	■	□	□	□	□	□	□	□
45	TODO HUELVA	■	■	■	■	□	□	□	□	□	□	□
46	TODO EXTREMADURA	■	■	■	■	□	□	□	□	□	□	□
47	TODO EL MONASTERIO DE GUADALUPE	■	■	■	■	□	□	□	□	□	□	□
48	TODO ZAMORA	■	■	■	■	□	□	□	□	□	□	□
49	TODO PALENCIA	■	■	■	■	□	□	□	□	□	□	□

Colección TODA AMERICA

		Español	Francés	Inglés	Alemán	Italiano	Catalán	Holandés	Sueco	Portugués	Japonés	Árabe
1	PUERTO RICO	■	□	■	□	□	□	□	□	□	□	□
2	SANTO DOMINGO	■	□	■	□	□	□	□	□	□	□	□

Colección TODA AFRICA

		Español	Francés	Inglés	Alemán	Italiano	Catalán	Holandés	Sueco	Portugués	Japonés	Árabe
1	MARRUECOS	■	■	■	■	■	□	□	□	□	□	□
2	EL SUR DE MARRUECOS	■	■	■	■	■	□	□	□	□	□	□

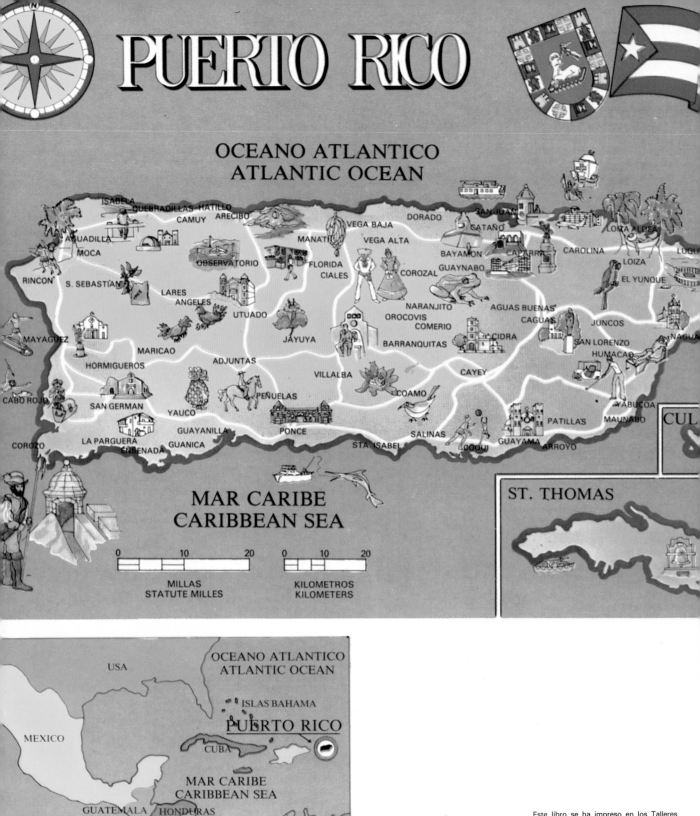

PUERTO RICO

OCEANO ATLANTICO
ATLANTIC OCEAN

MAR CARIBE
CARIBBEAN SEA

ST. THOMAS

MILLAS
STATUTE MILLES

KILOMETROS
KILOMETERS

OCEANO ATLANTICO
ATLANTIC OCEAN

ISLAS BAHAMA

PUERTO RICO

MEXICO

CUBA

MAR CARIBE
CARIBBEAN SEA

USA

GUATEMALA HONDURAS

NICARAGUA

OCEANO PACIFICO
PACIFIC OCEAN

COSTA RICA PANAMA

COLOMBIA

VENEZUELA

ISABELA QUEBRADILLAS HATILLO
CAMUY ARECIBO
AGUADILLA
MOCA
OBSERVATORIO
RINCON S. SEBASTIAN
LARES
ANGELES
UTUADO
MAYAGÜEZ
MARICAO
HORMIGUEROS
ADJUNTAS
CABO ROJO
SAN GERMAN
YAUCO
COROZO LA PARGUERA
GUAYANILLA
ENSENADA GUANICA
VEGA BAJA
MANATI VEGA ALTA
FLORIDA
CIALES
COROZAL
DORADO
SAN JUAN
CATAÑO
BAYAMON
GUAYNABO
CAPARRA
CAROLINA
LOMA ALPEA
LOIZA
EL YUNQUE
NARANJITO
OROCOVIS AGUAS BUENAS
COMERIO CAGUAS
JAYUYA
BARRANQUITAS
CIDRA
SAN LORENZO
JUNCOS
HUMACAO
VILLALBA
PEÑUELAS
CAYEY
COAMO
PONCE
STA. ISABEL
SALINAS
COQUI
GUAYAMA ARROYO
PATILLAS
MAUNABO
YABUCOA

CUL

Este libro se ha impreso en los Talleres
FISA - Industrias Gráficas, Palaudarias, 26
Barcelona (España)